EL ESPÍRITU DE LA TIERRA

La revolución de los pájaros

¿A quién le gustaría no tener nada para desayunar, comer o cenar?
¿Quién querría no disponer de agua ni tan siquiera para beber?
¿Quién disfrutaría escuchando sólo ruidos?
¿A quién le gustaría salir a la calle con una máscara para respirar el aire?
¿Quién querría vivir en un lugar sin árboles, ni plantas, ni flores, ni animales?

La situación actual de nuestro planeta ha llegado a un extremo que muchos califican de no retorno. Pero los niños pueden crecer con la esperanza de un mundo mejor y con una conciencia distinta, más sensible a los problemas de nuestro entorno. Como afirmaron algunos de ellos en el manifiesto de la Unesco sobre los retos del milenio:
«Dicen que somos el futuro, pero somos el presente».

Este presente es el que trata «El espíritu de la Tierra», una colección de cuentos para niños que también pueden leer los adultos; cuentos que nacen con el deseo de concienciar y educar, con el deseo de transmitir que este planeta, en el que estamos de paso y que nos han dejado gratis para vivir en él, puede ser un lugar más amable y mejor si todos ponemos un poco de nuestra parte.

El espíritu de la Tierra se ha puesto en contacto con nosotros a través de Internet, por primera y quizás única vez, y ha inspirado los cuentos de esta maravillosa colección con la intención de advertirnos de su malestar por la contaminación del aire y del mar, la desaparición de especies, la tala de árboles y la falta de agua, entre otras cosas. Pero no todo ha de ser negativo, al final de cada cuento, nos muestra diferentes actividades que los niños, y también los adultos, pueden realizar para, persona a persona y día a día, poner remedio a una situación que puede ser reversible con un cambio de actitud. Un cambio que debe empezar en la educación pero que también ha de ser activo. Porque concienciar es importante, pero actuar también.

El primer cuento de la colección, *La revolución de los pájaros,* trata sobre la contaminación acústica y enseña a los niños el valor del silencio. Inspirada en una noticia aparecida en la prensa británica, esta bella historia nos muestra lo importante que es practicar el silencio, saber escuchar y hacer día a día pequeñas cosas. Si un mundo mejor es posible, ¿por qué no hacer algo?

Anna Llauradó

La revolución de los pájaros

Ilustraciones de Gloria García

ONIRO

Para mis hijos,
y los hijos de mis hijos...

«Lo esencial es invisible a los ojos»
Antoine de Saint-Exupéry

Hace unos meses una noticia aparecida en la prensa decía lo siguiente:

«Un estudio realizado en Gran Bretaña ha llegado a la conclusión de que los pájaros de ciudad, confundidos por el estruendo del tráfico y los mil ruidos urbanos, cantan mal y a destiempo imitando bocinas, móviles y alarmas, lo que les provoca dificultades para atraer una pareja.»

Inspirado en esta noticia, nace este cuento…

Esta historia empieza en un parque, una mañana de sábado del mes de marzo. Acaba de llover. Los árboles, en cuyas ramas ya han brotado las primeras hojas de primavera, aún llevan un impermeable de lluvia, y en las flores las gotas de agua brillan como diamantes con los primeros rayos del sol, que se está levantando en una cama de nubes grandes y blancas. También los olores se despiertan y huele a hierba, a tierra mojada y a flores que el viento de marzo transporta, como un genio en su lámpara, dejando tras de sí un perfume de rosas –las primeras del año–, de jazmín y de violetas; pero los más despiertos son los pájaros: al dejar de llover, han empezado a cantar como una gran orquesta de la naturaleza.

Paseando por el parque van Clara y su abuelo. Todos los sábados por la mañana acostumbran a salir pronto para comprar el pan y el periódico y, de vuelta a casa, cruzan el parque mientras comparten un cruasán recién hecho o unas galletas de chocolate.

Hoy el parque está muy tranquilo: ha llovido y apenas son las diez de la mañana; además, con el agua que ha caído, parece más limpio y brillante, como recién estrenado. También Clara estrena unas botas rojas de goma que hacen juego con las amapolas de su impermeable. Las botas son un regalo de su abuelo porque ayer Clara cumplió 10 años.

–Un número especial –le dijo su abuelo–. De dos cifras, ya…

A Clara le hizo mucha ilusión el comentario, y más ilusión aún le hicieron las botas: con ellas puede disfrutar de la lluvia y pisar los charcos sin mojarse. Así que este sábado está muy contenta; además, en la papelería, su abuelo le ha comprado una libreta y un bolígrafo de siete colores, como los del arco iris, para que escriba en ella lo que le apetezca: ideas, cosas que le gustan o que quiere hacer, dibujos y también los momentos de alegría o de enfado. Aunque la verdad es que, desde hace unos meses, Clara siempre está contenta y le encanta salir con su abuelo; no como antes, cuando refunfuñaba porque no quería acompañarle ni escuchar sus historias, que le parecían enormemente aburridas. Pero hoy, además, es ella quien tiene algo que contar:

–Esta noche he tenido un sueño.

–¿Un sueño? –se interesa su abuelo.

–Sí… –Y bajando la voz, como si fuera a desvelar un gran secreto, Clara se detiene junto a un banco del parque y pregunta–: ¿Podemos sentarnos?

–Claro –le contesta su abuelo mientras saca un paquete de pañuelos de papel para secar los restos de lluvia que hay en el banco.

Clara le ayuda y, cuando se sientan, empieza a contar:

–He soñado que estaba en un bosque… Estaba en el norte, muy al norte, donde dices que nace el arco iris y donde hay esos bosques tan especiales que los que mandan ponen leyes para que no se construyan carreteras ni se talen los árboles donde viven duendes y hadas desde hace muchos años…

–Ah… Empiezas a creer en ellos…

Clara sonríe y, mirando a su abuelo, le dice:

–Tú me has enseñado.

Entonces se hace un silencio. Es un silencio muy especial: de repente, parece como si todos los sonidos del lugar se hubieran detenido; incluso el viento se ha quedado muy quieto para no mover ni una hoja y los pájaros han dejado de cantar.

No se oye… NADA.

Es un silencio mágico.

Hasta que, de pronto, de ese silencio, surge un trino.

–¡¿Lo oyes?! –grita Clara entusiasmada.

–Pues claro que lo oigo.

–¡Es él! ¡Y mi… mi sueño iba… de lo que pasó! –Clara se levanta alterada–. ¿Lo oyes? ¡Hola! ¡Hola! ¿Dónde estás?

Clara empieza a buscar por entre las ramas de la acacia que hay junto al banco al pajarito que con sus trinos parece contestarle «aquí, aquí».

–Ven… Ven… ¿Has oído lo que decía al abuelo? Tenemos que contar todo lo que pasó para que lo conozcan otros niños y muchas personas… –Entonces Clara se interrumpe y con mucho mimo, pregunta–: ¿No crees que podemos contarlo, abuelito?

Antes de que el abuelo tenga tiempo de contestar, aparece el pajarito en una de las ramas de la acacia: es un gorrión redondito, de plumas como el cobre brillante, algo más claras en la panza, y una cara simpática de ojos vivos y oscuros. Feliz, el pájaro vuela hasta otra rama más cercana y, con uno de sus más bellos trinos, parece pronunciar un «sí» clarísimo.

–¿Lo has oído? – La niña se gira hacia su abuelo–. Quiere que lo contemos…

–Es evidente que está de acuerdo. Así que… ¿tenemos lápiz y papel?

–Abuelo… – Clara abre la bolsa donde llevan el pan y el periódico–. Tú me has regalado esta libreta. Y este boli del arco iris…

–¿Yo? Vaya. Qué casualidad, ¿no? –Y guiñándole un ojo al pajarito, el abuelo dice a su nieta–: Venga, va, ¿no quieres contar la historia? Pues a ver, ¿cómo empieza?

–Empieza… empieza… –Clara mordisquea la punta del bolígrafo– Empiezas tú.

–Y, decidida, le da el bolígrafo y la libreta a su abuelo.

–Vaya… Pero ¿no eres tú quién ha tenido el sueño?

–Sí. Pero tú sabes escribir…

–¡Y tú!

–Pero yo no soy periodista.

–Yo tampoco: me he jubilado.

–¡Abuelo!

–Bueno va… Yo escribo pero tú cuentas la historia. Y tú, también. –Y el abuelo mira al gorrión–. Que eres uno de los protagonistas.

El pajarito lanza entonces un largo y bello trino y, de repente, Clara grita inspirada:

–¡Ya sé cómo empieza! ¡Ya sé cómo empieza! Vamos, abuelito, escribe, escribe…

Hace un tiempo, en un bosque del norte, donde dicen que nace el arco iris, sucedió algo muy, muy especial…

Bueno, no era tan en el norte, sino algo más cerca, pero sí que sucedió algo especial.

Todo empezó una fresca mañana de primavera. El bosque estaba tranquilo y reinaba un gran silencio. La niebla envolvía todo como una gran hoja de celofán transparente y vestía a los árboles que parecían fantasmas. Sin embargo, gracias a las gotas que las hadas del rocío habían depositado de madrugada, sus hojas y sus ramas brillaban. Y, mientras todo dormía, los duendes fueron a despertar al sol para que se levantara radiante, como cada mañana.

Y, así, con los primeros rayos del sol, la niebla empezó a deshacerse y los árboles estiraron sus ramas dándole la bienvenida a la luz, mientras los animales salían con calma de sus troncos y madrigueras, y las flores se abrían descubriendo en su interior algunas hadas dormidas. También la hierba se movía como si el aire de la mañana, al pasar, le hiciera cosquillas.

Todo iba despacio, sin prisa, cuando, de repente, un pequeño gorrión apareció volando muy rápidamente y, al llegar a uno de los claros del bosque, se detuvo y cayó, como fulminado, a los pies de un gran roble.

El pobre pajarito casi no podía respirar y el árbol, sorprendido (entre otras cosas porque aún se estaba despertando) le preguntó, desde la energía de su espíritu:

–¿Qué te oc [illegible] De dónde vienes?

Entonces el [illegible] un poco su cabecita y, con trinos entrecortados, le contestó con el leng [illegible] aturaleza:

–Vengo... vengo desde muy lejos... Y estoy... estoy buscando al viejo búho del bosque... Es muy urgente.

Y, dicho esto, el pajarillo volvió a dejarse caer sin energía mientras un duende, que en ese momento se dirigía hacia el tronco del roble para descansar, le escuchó. Sintiendo que algo grave sucedía, el duende olvidó su descanso y salió corriendo para avisar al señor búho que, como cada mañana al despuntar el día, se estaba colocando en la rama de una vieja encina para meditar.

–Señor búho... señor búho... –le dijo el duendecillo desde la base del árbol– Hay algo urgente...

Entonces el señor búho, que ya se había colocado y parecía una estatua en la rama del gran árbol, levantó uno de sus párpados, como si fuera una persiana, luego el otro, y con sus enormes ojos abiertos se quedó en silencio esperando más información.

–Se trata de un gorrión... –le aclaró el duende–. Quiere verle...

Inmóvil en su pedestal, el pájaro sabio sólo movió el pico para contestar:

–Bien. Dile que venga.

–Bueno es que... –el duende se acercó un poco más al viejo búho–. Parece muy cansado: ha caído a los pies del viejo roble y casi no puede mover las alas.

Entonces el gran búho parpadeó lentamente un par de veces, abriendo y cerrando los ojos con mucha calma, y cuando ya los tenía bien abiertos, empezó a desplegar las alas hasta convertirlas en dos grandes abanicos.

–Está bien… –dijo entonces.

Y, deslizando su vuelo hacia los pies de la vieja encina, el pájaro recogió al duende para que se montara en su espalda y juntos despegaron hacia el lugar donde el gorrión los estaba esperando.

Lo encontraron rodeado de otros pájaros que trataban de reanimarle dándole un poco de agua que habían traído en sus pequeños picos y también un poco de aire con el batir de sus alas. Pero cuando apareció el señor búho, todos se apartaron y el gorrión –que acababa de abrir los ojos gracias a la ayuda de sus compañeros– se sobresaltó.

–Tranquilo –le dijo el viejo búho con el lenguaje de los animales–. ¿No querías verme?

El gorrión quiso incorporarse, y lo intentó, pero estaba tan cansado que no podía con su alma.

–No te levantes –le aconsejó el búho–. Descansa y recupera tu energía. No hay prisa.

Pero el pajarito, aun con dificultades, quería levantarse. Sentía contradecir al señor búho pero, en su caso, sí había prisa. Y mucha.

–Lo que he venido a contaros necesita una solución urgente –dijo cogiendo todo el aire necesario para seguir hablando–. Por eso he venido volando sin descanso.

El gorrión hablaba con el lenguaje de la naturaleza pero, a medida que lo hacía, el búho notó que el pajarito se expresaba de un modo extraño. Por un momento pensó que quizá se debía al cansancio pero, cuanto más le escuchaba, menos le entendía, hasta que el gorrión le explicó que su trino tan raro era, precisamente, el problema que había venido a contar.

Y mientras el pajarito se iba recuperando para explicar su historia, el claro del bosque se fue llenando con todos sus habitantes: ardillas, conejos, lobos, pájaros, zorros, liebres, caracoles, mariposas… Incluso los topos sacaron sus naricillas de las madrigueras para rodear al gorrión y escucharle, mientras los duendes y las hadas se instalaban en la vieja encina, interesados también por su problema.

–Hace unas semanas –empezó diciendo el pajarito– yo estaba en la rama de una preciosa acacia en flor, en el parque de la ciudad donde vivo. Y estaba ahí, tan tranquilo, cuando, de pronto, la vi: era la gorrioncita más bonita del mundo; tenía unas plumas marrón–dorado que brillaban con el sol de la mañana y una colita preciosa y unos ojos… unos ojos… Umm… ¡Qué ojos!

Sólo con recordar a la gorrioncita, el pajarito pareció recuperar toda la energía que le faltaba e irse por las ramas, pero no las del árbol, sino las de su imaginación… Pero entonces sus ojos se encontraron, no con los de su enamorada, sino con los del señor búho, que le estaba mirando como diciendo:

–Al grano.

–Bueno, pues… Que era tan bonita que, rápidamente, quise conquistarla con mi canto. Así que me posé sobre una rama, estiré el cuello, afiné la voz. Y cuando me disponía a cantar para cortejarla, de pronto… ¡Oh…!

–¡¿Qué?! –gritaron al unísono todos los animales porque, de golpe, el gorrión se había callado.

–Pues que empezó… empezó a salir aquel sonido extraño de mi garganta.

Fue como un «moc… muuuuc… moooc…» o algo así. Horrible. Tan horrible que la pobre gorrioncita me miró asustada y salió volando.

Creyendo que la perdía, explicó el gorrión a sus amigos del bosque, se lanzó a volar tras ella a toda velocidad. Pero no fue fácil: las calles estaban llenas de coches y, además, por culpa de unas obras, se había formado un atasco enorme.

–Todo eran ruidos –explicó el pajarito–. Bocinas, máquinas y tubos de escape roncando y expulsando gas…

Al escuchar esto, los animales se miraron: no entendían lo que les estaba diciendo el gorrión porque nunca habían estado en una ciudad.

Entonces el señor búho tuvo que aclararles algunos detalles:

–Veréis –les dijo el búho–. Una ciudad es un lugar muy, muy grande…

–¿Como nuestro bosque? – preguntó una ardillita que estaba apurando una avellana.

–Bueno… –contestó el señor búho–. Las hay de distintos tamaños… Pero algunas son más grandes que este bosque.

–¿De verdad? –preguntó un topito sacando aún más la nariz de su madriguera.

–Lo importante es que una ciudad, sobre todo si es grande, tiene mucho movimiento. A veces, demasiado. En la ciudad, hay muchas personas, y cuantas más personas hay, más grande se hace la ciudad porque se construyen más casas y lugares para trabajar, comer, ir a comprar… Y si la ciudad va creciendo, las distancias son cada vez mayores y los que viven en ella necesitan coches, motos o autobuses porque tienen mucha prisa y poco tiempo. Y, sin darse cuenta, se ponen nerviosos y quieren correr. Y si no llegan a donde quieren se ponen todavía más nerviosos y tocan las bocinas de sus coches y gritan y el ruido es cada vez mayor; tanto que el silencio no existe para ellos.

Al decir estas últimas palabras, en el bosque se instaló un gran silencio.

Todos, absolutamente todos, los animales, los duendes y las hadas, se callaron.

Incluso el riachuelo que pasaba cerca del lugar donde se encontraban, pareció que iba más despacio y el aire se volvió más y más suave para no hacer, tampoco él, ningún ruido entre las hojas de los árboles.

Era un momento de paz.

De calma.

De tranquilidad.

De poder estar sin hacer nada.

–Hacía tanto que no escuchaba el silencio –dijo entonces el gorrión, muy bajito–. Qué bonito es. Y cuánto lo echaba de menos.

–Bien – intervino entonces el señor búho–. No hay tiempo que perder... Así que, si quieres continuar con tu historia, te escuchamos.

–Pues como os contaba –prosiguió el pajarito–, en aquel ambiente de coches, de ruidos y de humo, yo iba volando detrás de la gorrioncita pero cada vez que intentaba llamarla, o bien ella no podía oírme por las bocinas y los ruidos de los coches, de las motos y de las máquinas, o bien yo me asfixiaba con los gases. La verdad es que los pájaros de ciudad lo tenemos cada vez peor. No sabéis lo agradable que es este silencio... y este aire limpio... y estos árboles...

El gorrión se paró, un segundo, para inspirar profundamente y luego, como si el aire inspirara también su historia, siguió explicando como volando, volando...

–Al final pude alcanzar a la gorrioncita. Pero cuando iba a cantarle, en cuanto abrí un poquito el pico y me disponía a sacar mi voz, volvió a sonar como...

como una máquina sin aceite, o como un instrumento de esos que usan las personas para hacer música, pero roto. Y eso no es lo más triste…

–¿Ah, no? –preguntaron a coro todos los pájaros del bosque–. ¿Hay algo aún más triste?

–Sí. Lo peor es que todos los pájaros de la ciudad estamos igual: vencejos, palomas, mirlos, petirrojos, jilgueros y otros gorriones como yo no pueden cantar. Al menos no como antes. Y, además, siempre tenemos que gritar a causa del ruido.

Entonces todos los animales del bosque miraron al señor búho esperando una explicación: no podían comprender que otros pájaros tuvieran problemas en sus gargantas y no pudieran cantar con normalidad.

Pero, en lugar del viejo búho, fue el propio gorrión quien les explicó que sus compañeros de ciudad habían olvidado cómo lanzar sus trinos y gorgoritos porque al oír tantos ruidos de coches, motos, camiones, alarmas o teléfonos móviles, habían empezado a imitar esos sonidos, y no sólo cantaban mal y a destiempo, sino que además tenían grandes problemas para atraer a una pareja con su canto.

–Lo descubrí –aclaró entonces el gorrión– porque no sólo me estaba pasando a mí sino también a otros pájaros. Después de alcanzar a mi amada y convencerla con mis trinos, bastante desafinados pero llenos de amor, de que se quedara a mi lado, escuchamos a otros, como un viejo palomo que estaba en una calle, cerca de un colegio donde los niños gritaban en el patio. Había mucho ruido y el pobre palomo se fue detrás de una paloma muy bonita, pero, en ese momento, un humano pasó junto a ellos y empezó a sonar uno de esos teléfonos móviles. Entonces el palomo empezó a imitar el ruido del aparato con sus trinos y la paloma salió volando asustada.

50

En el bosque se hizo de nuevo el silencio.

Después de escuchar al gorrión, los animales se miraron, sin decir nada, hasta que empezaron a preguntarse qué podían hacer para ayudar a sus amigos de la ciudad. Y en ello estaban, comentando aquí y allá, esto y aquello, cuando, de repente, se oyó el aullido de un cachorro de lobo. Todos se giraron hacia él y el lobito, muy tímidamente, dijo que él sólo quería comprobar que su voz era la de siempre, porque no quería que le ocurriera lo mismo que a los pájaros de la ciudad.

–Es algo terrible –reconoció el gorrión–. Y no sabemos qué hacer. Por eso he volado hasta aquí. En el parque donde vivo, un viejo jilguero me habló de este bosque y del señor búho: un canario se lo había contado; lo había escuchado en la casa donde vive porque un abuelo se lo explicó a su nieta como si fuera un cuento.

–Ah… –observó el búho–. Interesante. Hay humanos que hablan de nosotros y de este bosque… Me gustará conocer a ese canario.

–Bueno, no sé si podrá venir volando hasta aquí. Él y el jilguero son muy mayores. Creo que son los pájaros más viejos de la ciudad y no pueden viajar muy lejos, pero dijeron que yo podría hacerlo.

Y entonces el gorrión miró al búho esperando una solución.

Pero el búho no abrió el pico sino las alas y, sin decir palabra, salió volando hacia la vieja encina para meditar en una de sus ramas.

Y así transcurrieron unas horas, y otras más, y al atardecer, cuando el sol ya estaba a punto de irse a dormir, el búho abrió sus grandes ojos y, saliendo de su meditación, pidió al duende que fuera en busca del gorrión.

Al recibir el mensaje, el pajarito, ya recuperado, salió volando con el duende hacia la encina y cuando llegó, el viejo búho le invitó a posarse en la rama abriendo una de sus alas.

–He estado meditando –le dijo entonces–. Y creo que la única solución es que los pájaros de tu ciudad vengan a este bosque a recuperarse.

–¿To… todos? –dijo el gorrión, sorprendido.

–Sí, claro. Todos –afirmó solemnemente el búho.

Al pajarito le pareció una idea estupenda pero, tras la primera alegría, se puso un poco más serio al pensar que algún que otro pájaro de la ciudad tendría problemas para llegar hasta el bosque, como su amigo el viejo jilguero, que estaba demasiado cansado y era demasiado mayor para volar hasta tan lejos, o el mismo canario que les había dado la información.

–No te preocupes –le dijo el búho–. Entre todos, les ayudaremos.

Y así fue como, al día siguiente, con el primer rayo de sol, una bandada de pájaros del bosque, capitaneada por el gorrión, inició su vuelo hacia la gran ciudad.

Y después de volar, volar, y volar, con mucha energía y lo más rápidamente que podían, cuando la primera estrella apareció en el cielo anunciando la llegada de la noche, la bandada de pájaros empezó a vislumbrar las primeras luces de los edificios que se iban encendiendo a lo lejos…

–Ya estamos llegando –anunció el gorrión–. Y hemos volado más rápido gracias al viento del norte.

–¿Eso… eso es una ciudad? –preguntó un joven ruiseñor que siempre había vivido en el bosque.

–Pues qué va a ser si no – le replicó un jilguero algo mayor que, al abrir el pico, se tragó una bocanada de humo de la fábrica que estaban sobrevolando. –¡Qué asco! ¡¿Cómo se puede vivir así?!

Varios pájaros que volaban junto a él sintieron lo mismo, y entonces el gorrión indicó a todos que esquivarían los humos volando por los alrededores de la ciudad.

Cambiaron así la dirección de su vuelo para girar hacia la izquierda y, sobrevolando sólo unos cuantos edificios altísimos, a los pocos minutos aterrizaron en la alfombra de césped que había en el centro del parque.

–Aquí vivo yo –anunció el gorrión. Y lo primero que hizo fue lanzar uno de sus trinos, algo más afinados, para llamar a su pareja.

Rauda y feliz, al escuchar el canto de su amado, la gorrioncita apareció volando (cómo no), y fue tanta su alegría al ver al gorrión y a los demás pájaros del bosque que no pudo parar de revolotear y revolotear como una mariposa hasta que el jilguero mayor, en nombre del viejo búho, comentó:

–No tenemos mucho tiempo y hay que terminar la misión antes de que amanezca. Así que… muy bellos revoloteos, jovencita, pero… ¡en marcha!

A la orden del jilguero, la gorrioncita se detuvo en seco y, poniéndose al lado de su pareja, esperó. Entonces todos los pájaros del bosque, con sus trinos claros y afinados, sin interferencias ni ruidos extraños, empezaron a cantar para llamar a todos los pájaros de la ciudad. En pocos minutos, el parque se fue llenando de gorriones, golondrinas, vencejos, e incluso periquitos y otros pájaros urbanos, que fueron cubriendo la hierba y, después, las ramas de los árboles más cercanos, hasta que el jilguero, ayudado por el gorrión, contó a todos el motivo de su viaje.

Pero cuando iba por la mitad de la explicación, un viejo canario llegó volando e interrumpió al jilguero para decirle que, además de todos los pájaros que ya estaban en el parque, había otros muchos que no habían podido venir porque estaban enjaulados: vivían en casas, como él, o en tiendas, pero no podían salir y tenían que ayudarles.

–¿Y tú, cómo te has escapado? –preguntó una alondra del bosque al canario de ciudad.

–Bueno… Mi caso es… especial.

–¿Especial? –preguntó la alondra–. ¿Qué quiere decir «especial»?

–Pues… Que vive libre… en una casa –explicó el gorrión–. Es el canario del que os hablé en el bosque…

–Ah… Es él… –comentaron los pájaros entre ellos.

–¿Y por qué tienes esa suerte? –preguntó la alondra de nuevo.

–Bueno… El señor que me cuida tenía muchos canarios, pero cuando nació su nieta Clara, que ahora tiene casi diez años, como yo, dejó a todos los pájaros en libertad. Los llevó a un bosque y… los dejó volar… Pero yo, que era muy jovencito, no quise marcharme, y él… él debió de notarlo porque dijo que sería el amigo de su nieta. Desde entonces he volado libre por la casa, incluso por el patio, pero nunca me había marchado. Hasta hoy.

–¿Y qué quieres hacer? –le preguntó el jilguero mayor.

–Bueno, aunque me duela, creo que debemos ir todos al bosque. Así que... ¡a trabajar!

A la orden del canario, el gorrión, el jilguero y él mismo organizaron varios grupos de pájaros urbanos que, en un abrir y cerrar de alas, alzaron el vuelo para liberar a sus compañeros encerrados.

–Hacedlo rápido –dijo el jilguero, y el canario añadió–: Antes de que amanezca, no debe quedar ningún pájaro en la ciudad.

En unas horas, y gracias a la destreza de los picos de jilgueros, ruiseñores, petirrojos, alondras y otras aves del bosque y de la ciudad, abrieron todas las jaulas y los pájaros encerrados quedaron libres para volar. Y, cuando el primer rayo de sol estaba a punto de dar la luz al día, todos se encontraron en el parque. A la orden del canario y del jilguero mayor abrieron sus alas, airearon sus colas y a la de tres, despegaron.

Los más jóvenes se ofrecieron a ayudar a los más ancianos y, en pocos segundos, una inmensa nube de pájaros sobrevoló la gran ciudad.

Fue un viaje largo y con algunos problemas de comunicación, porque los trinos de los pájaros urbanos sonaban extraños, como alarmas y bocinas, y sus amigos del bosque tenían problemas para entenderles. Además, gritaban mucho porque, acostumbrados a los fuertes ruidos de la ciudad, su tono era muy alto. Pero gracias a la buena voluntad de todos y a las traducciones simultáneas que, en pleno vuelo, fueron haciendo el gorrión y el canario entre unos y otros, llegaron finalmente al bosque, donde el búho y el resto de los animales les estaban esperando con alegría y muchas ganas de ayudarles.

Las hadas y los duendes habían preparado néctar de flores para darles la bienvenida y para que empezaran a recuperar la energía perdida en la ciudad. Y, mientras disfrutaban de dulces sorbos de violeta con rosa silvestre, de azucena con margarita y también de prímulas y campanillas, el señor búho se dirigió a los recién llegados:

–Es el deseo de todos que los pájaros de la ciudad se recuperen y recobren la voz que les permita cantar como lo han hecho siempre. Aquí podréis descansar, respirar aire puro y practicar con vuestros amigos, los pájaros del bosque. También los duendes y las hadas os ayudarán: conocen los secretos de las flores y de las plantas que afinarán vuestras voces para que volváis a cantar como antes y conquistéis a vuestras parejas sin problemas. Porque todos sabemos que, sin un bello canto en primavera, no podemos crear un nido ni tener pajaritos que, a su vez, la próxima primavera, crearán otros nidos para tener más descendencia. Así es el ciclo de la vida… Y, en este bosque, haremos todo lo que podamos para que no se rompa, aunque muchas veces los humanos no son conscientes de que están haciendo cosas muy feas en la naturaleza. ¡Pero bueno, no vamos a decir cosas feas nosotros! Lo que vamos a hacer es buscar soluciones para que nuestros amigos de la ciudad puedan afinar otra vez. Así que... ¡bienvenidos y a cantar!

Dicho esto, las hadas y los duendes empezaron a buscar por el bosque las mejores plantas y las más dulces flores que aliviaran las gargantas irritadas de los pájaros de ciudad, mientras los animales se ocupaban de encontrarles un buen árbol, las mejores ramas y hojas, comida y todo lo necesario para que el bosque se convirtiera en su hogar.

Y, aprovechando el revuelo, el búho se acercó al canario de la ciudad y le dijo:

–¿Sabes que hay unos cuantos canarios que viven en este bosque? Llegaron hace tiempo. Algunos son muy, muy mayores... El aire puro y los cuidados de las hadas les sientan muy bien. Míralos... Ahí vienen.

El señor búho levantó entonces el vuelo dejando al canario de ciudad con el pico abierto.

–No puede ser –exclamó al verlos–. Sois... ¡mi familia!

Un grupo de canarios dorados aterrizó junto a él y, trinando con gran alegría, le dieron la bienvenida formando a su alrededor un sol amarillo y brillante; un sol para iluminar la nueva vida que todos juntos iban a disfrutar.

Mientras tanto, en la ciudad, la vida seguía aparentemente igual: las calles, los parques, las casas, incluso las tiendas de animales, se habían quedado sin pájaros pero nadie parecía notarlo. Y, aunque no se oía ni un gorrión, ni un canario, ni un periquito, ni una golondrina, como los ruidos de la ciudad eran tan fuertes, sus habitantes no echaban de menos el canto de los pájaros.

Sólo las personas que los tenían en jaulas se dieron cuenta.

«Qué extraño», se dijeron algunos.

Y otros se preguntaron: «¿Dónde están nuestros pájaros?»

Entonces, un periódico publicó una pequeña noticia, una cadena de televisión anunció que tal vez existía una banda de ladrones de pájaros y una emisora de radio comentó que igual pedían un rescate.

Pero dos días después, nadie le dio más importancia. No había pájaros en las jaulas. Incluso parecía que no se oían ni en los parques ni en las calles. Qué cosa tan rara, aunque pasaban tantas cosas raras en la ciudad que muy pocos se extrañaron. Además, como casi todo el mundo iba con prisas y se pasaba el día en el coche, en la oficina delante del ordenador, hablando por teléfono y por el móvil, y luego delante del televisor o aislados con sus auriculares escuchando música, la noticia de los pájaros desaparecidos se acabó disolviendo como una gota de agua en un océano.

Algunos niños y unos pocos adultos se entristecieron porque sus mascotas se habían ido y las echaban de menos pero, con el paso de los días, también lo olvidaron.

Sólo el abuelo de Clara, dueño del canario que había dado la orden de liberar a los pájaros enjaulados, empezó a decir que estaba pasando algo extraño y que había que investigar. Pero nadie le hizo caso.

Nadie hasta que, de repente, llegó una ola de calor inesperada. Entonces los termómetros se dispararon con temperaturas muy altas durante el día y una nube de mosquitos invadió la ciudad por la noche. Y, a medida que transcurrían los días, los árboles de las calles y de los parques, las flores, las plantas, los pequeños estanques, todo se fue secando porque, no sólo no llovía, sino que el sol quemaba como si la ciudad fuera un desierto de asfalto.

Entonces la cantidad de mosquitos creció y creció, y creció tanto que los periódicos, las radios y las televisiones empezaron a dar noticias:

«Los mosquitos invaden la ciudad.»

«Las altas temperaturas provocan una invasión de mosquitos.»

«Los científicos estudiarán el problema.»

«La ciudad no puede dormir.»

El problema era grave pero nadie daba una solución, y las personas se fueron poniendo más y más nerviosas y de malhumor, porque no sólo tenían que vivir con las prisas, los humos, los atascos y los ruidos de siempre, sino que por la noche no podían dormir a causa del calor y, sobre todo, de los mosquitos, que eran tantos y tan grandes que ningún producto servía para ahuyentarlos. Pero es que, además, por culpa de las picadas muchas personas empezaron a tener alergias y no podían trabajar ni salir de casa, e incluso algunos niños y niñas dejaron de ir al colegio.

Una de las niñas fue Clara.

Una picada le hinchó el párpado de tal modo que no podía abrirlo y tuvo que ponerse una pomada y quedarse en casa con el ojo tapado como un pirata.

Por suerte, su abuelo pudo quedarse con ella: acababa de jubilarse de su trabajo como director de un importante periódico de la ciudad y tenía tiempo libre para estar con su nieta; le encantaba leer libros con ella, contarle sus viajes de juventud y también los secretos y misterios del planeta, como los de los duendes y las hadas que cuidan la naturaleza. Pero Clara prefería las series de televisión, las películas o cantar y bailar con sus amigas. Claro que con un ojo tapado no podía hacer casi nada, así que, durante los días que tuvo que quedarse en casa recuperándose, no le quedó más remedio que escuchar a su abuelo.

Y una tarde, algo empezó a cambiar...

Dos amigos de Clara, Óscar y Patty, fueron a visitarla y, mientras se quejaban de los horribles mosquitos y del calor, escucharon cómo el abuelo hablaba por teléfono con alguien del periódico que había dirigido. Le estaba diciendo que tenía que dar la noticia con grandes titulares explicando que la invasión de mosquitos era por la falta de golondrinas y de vencejos en la ciudad.

–Estos y otros pájaros se comen a los insectos, pero como desde hace semanas no hay pájaros en esta ciudad, los mosquitos se están multiplicando. Y parece mentira que nadie lo publique en serio, ni se investigue qué está pasando.

–Es verdad –exclamó de repente Óscar, el amigo de Clara–. ¡No hay pájaros en la ciudad y nadie dice nada!

–Tu abuelo tiene razón –dijo Patty–. Tienen que publicarlo.

–Sí, es verdad –reconoció Clara tímidamente.

–¿Y por qué no están haciendo nada? –preguntó Patty, sorprendida.

–Mi abuelo habla cada día con sus compañeros del periódico donde trabajaba. Y también con científicos y personas del ayuntamiento. Pero nadie le hace mucho caso.

Entonces Clara se calló de golpe; acababa de percibir una voz en su interior que le decía: «Como tú, Clara; tú tampoco le haces caso».

En ese momento, su abuelo entró en la habitación donde la niña estaba con sus amigos y, como un rayo, Clara se lanzó a los brazos de su abuelo diciéndole:

–Perdóname. Muchas veces no te he escuchado,

pero...

ahora quiero ayudarte.

–Queremos –matizaron Óscar y Patty.

El abuelo, sorprendido y emocionado, se quedó mirando a los niños.

–Vamos a buscar a los pájaros, abuelo –dijo Clara–. Seguro que tú sabes dónde están.

–¿Yo?

–Abuelo, tú me has contado muchas veces que en los bosques hay lugares...

–Y Clara bajó un poco el tono de voz para añadir–: Mágicos...

–¿Mágicos? –preguntó Óscar muy interesado.

–A ver, un momento, un momento –intervino el abuelo–. Lo primero es saber si estáis dispuestos a creeros, y he dicho «creer», todo lo que os diga...

Óscar y Patty lanzaron un «sí» rotundo, sin pensárselo dos veces; Clara, sin embargo, se quedó mirando a su abuelo, en silencio. Pero fue precisamente en ese silencio desde donde le llegó de nuevo la voz de su interior y escuchó: «Pues claro que crees... Y di que sí de una vez, pesada, que te están esperando».

Clara dijo entonces que sí y, una hora después, ella, sus amigos y el abuelo salían de la ciudad en el todoterreno familiar.

–¿Dónde vamos?

–¿Qué vamos a hacer?

–Si encontramos a los pájaros, ¿los traeremos en coche?

Los niños no paraban de hacer preguntas y el abuelo guardó silencio hasta que, en un determinado momento, les dijo:

–A ver... Vamos a un bosque. Llegaremos al atardecer. Es la mejor hora porque, en ese momento, los seres de luz empiezan a salir. Y, además, hoy habrá luna llena.

–¿Seres...

–... de luz?

Óscar y Patty hicieron un trocito de pregunta cada uno debido a su sorpresa.

–Son los duendes y las hadas –dijo entonces Clara, como demostrando que ella sabía mucho más.

–¿Du... du... endes? –tartamudeó Óscar.

–¿No ibas a creer todo lo que te dijera? –le preguntó el abuelo mirándole por el retrovisor del todoterreno.

–Sí... sí... Pero es que... ¿de verdad existen los... y las...?

Un nuevo silencio se instaló en el coche hasta que Clara repitió algo que su abuelo le había contado:

–¿Sabíais que cada vez que un niño dice que no cree en las hadas, desaparece una de ellas?

El abuelo miró a su nieta por el retrovisor y, emocionado, le sonrió.

A partir de ese momento y durante el resto del trayecto, ni Patty, ni Óscar ni Clara preguntaron nada más. Tampoco hablaron entre ellos, pero el abuelo sabía que algo mágico había empezado a suceder...

Cuando llegaron al bosque, el sol estaba a punto de acostarse en el horizonte.

El abuelo aparcó el todoterreno junto a un gran roble que parecía darles la bienvenida al lugar.

–¡Qué árbol tan grande! –dijo Patty, que se vio pequeñita al lado del tronco gigante.

–Es un roble –le dijo el abuelo mientras sacaba un pequeña mochila del coche–. Y, según dicen, uno de los árboles preferidos de las hadas.

Los niños se miraron sin decir nada.

–Ya sé que os cuesta creer en lo que no veis. Pero no todo se ve con los ojos. –Entonces se acercó a su nieta y le dijo–: Ven, te voy a quitar el vendaje. Ya estás mejor y, además, con el aire del campo, seguro que se te cura del todo.

Para Clara fue un alivio. Y un regalo. Cuando el vendaje desapareció de su vista, tuvo la sensación, no de ver como siempre, sino muchísimo mejor; además, al tener los ojos cerrados a ratos, había aprendido a escuchar con atención y a fijarse en detalles que antes le parecían insignificantes.

–Mirad –dijo la niña–. ¿Habéis visto… ahí… en esas margaritas blancas? Hay una mariposa… también blanca. Parece un pétalo que vuela…

–Y brilla… –reconoció Patty.

–Igual es un hada… –comentó Óscar muy bajito.

–Igual –respondió el abuelo sonriéndole con complicidad–. Las margaritas son las flores preferidas de las hadas que protegen la madera. Pero venga, vamos, que está anocheciendo y no podemos perder tiempo.

Así que los cuatro se adentraron en el bosque cuando, de repente, escucharon…

–¡Pájaros! ¡Abuelito! ¿Los oyes? –Clara empezó a gritar entusiasmada.

–Pssst… –le susurró su abuelo–. Baja la voz. No podemos gritar, ni entrar aquí haciendo ruido. Hay que guardar silencio o, de lo contrario, asustaremos a los seres de este bosque. Así que, antes de seguir, vamos a hacer una caja de silencio.

–¿Una caja? –preguntaron los niños, que no paraban de sorprenderse.

–Sí –les dijo el abuelo, y en voz muy baja les explicó–: Venga, juntad las manos a la altura de la nariz. Ahora abridlas lentamente y separadlas hasta llegar a cada lado del cuerpo para empezar a bajarlas, con mucha calma, hasta las caderas. Así… Muy bien. Y ahora, por debajo, volvéis a juntar las manos. Estupendo. Acabáis de dibujar en el aire una caja, y en ella guardaréis el silencio y no diréis nada. Pssst… Nada…

Los niños se miraron entre ellos y, con su caja simbólica entre las manos, empezaron a caminar detrás del abuelo, muy callados y atentos. Al no haber más ruido que el de sus pies que, además, iban muy despacio, les resultó muy fácil ir adentrándose en los sonidos del bosque y reconocer no sólo el canto de los pájaros que hacía tantos días que no escuchaban, sino también el viento deslizándose entre las hojas de los árboles, el movimiento de los arbustos al pasar, el crujir de las hojas bajo los pies o el rodar de alguna piedra. Y también otros que no sabían identificar pero que fueron escuchando con atención mientras avanzaban por un largo sendero que les llevó a un claro del bosque.

En aquel lugar había aterrizado el gorrión semanas atrás.

Ahora, el canto de los pájaros, felices, dejaba en el aire una dulce energía, y parecía que sus trinos habían embellecido y alegrado el bosque. Además, con los últimos rayos del atardecer, que se filtraban por las altas copas de los árboles como lanzas luminosas, el claro parecía un lugar hechizado.

En la entrada había otro roble grande y robusto, como un guardián protector, y, junto al tronco, un arbusto lleno de campanillas doradas brillaba con los últimos destellos del sol.

–Este es el lugar –dijo el abuelo–. Y hoy hay luna llena. ¿La veis, allá a lo alto, entre las hojas de los árboles?

Los niños levantaron la cabeza y, de golpe, entre medio del cielo verde que tejían las copas de los árboles, descubrieron una luna grande y blanca como una torta de nata.

–Bien –dijo el abuelo–. Ha llegado el momento de pedir que vuelvan los pájaros a la ciudad.

–Pero ¿qué vamos a hacer? –intervino Óscar –. ¿Mandarles un *sms*?

Clara y Patty se echaron a reír, pero el abuelo les explicó que iban a hacer algo más especial que mandar mensajes con el móvil.

–Además –bromeó–, aquí no hay cobertura.

Entonces abrió la pequeña mochila y sacó del interior un frasquito de cristal transparente dentro del cual había un aceite.

–¿Qué es? –preguntaron los niños.

–Aceite de rosas. Preparado durante la pasada luna llena con 21 pétalos de rosas silvestres.

–¿Y para qué sirve? –volvieron a preguntar los niños.

–Para que no hagáis más preguntas. –Y el abuelo se echó a reír–. Y para que creáis en la magia de la vida de la naturaleza. Y en la vuestra, también. Pero tenéis que practicar la paciencia, la confianza y… el silencio. Por eso os sentaréis solos ahí, en el claro, y pediréis que vuelvan los pájaros… El aroma de las rosas atrae a las hadas y calma la mente. Tú, Patty, llevarás el frasco…

Los niños se miraron entre ellos un poco asustados. Entonces el abuelo les dijo:

–Hace mucho, mucho tiempo, las personas y los seres de luz convivían sin problemas… Hasta que el ser humano empezó a portarse mal con la Tierra, a destrozar los bosques, a ensuciar el aire y el agua, a hacer daño a muchos animales. Y, entonces, como su corazón se fue cerrando, también se cerró su comunicación con esos seres, los espíritus de la naturaleza.

–¿Qui… quieres decir que las personas… antes… hablaban con las hadas y los duendes? –preguntó Óscar casi sin atreverse.

–Podían, sí –le contestó el abuelo.

Y Óscar iba a soltar un…

«¡Anda ya! ¡Como que me lo creo!»

… cuando rápidamente, el abuelo le dijo:

–Lo comprobarás tú mismo. Y vosotras también, con esto. –Y dando a Óscar una botellita que contenía un líquido dorado, añadió–: No temáis, no es nada malo. Sólo lleva tomillo salvaje, miel y unas especias muy ricas. También os ayudará a… ver. Óscar, guárdala con mucho cuidado. Y tú, Clara, llevarás esta bolsita: contiene jengibre y cebada… A las hadas les encanta.

–Pero… ¿qué… qué vamos a hacer? –Óscar estaba tan nervioso que no podía hablar con normalidad.

–Tranquilo –le dijo Clara sorprendiendo a todos–. Yo lo sé: el abuelo me lo ha contado muchas veces y ahora lo haremos de verdad. Vamos.

La seguridad y la confianza de Clara hizo que su abuelo se sintiera orgulloso de ella y tan feliz que, mientras los niños se dirigían hacia el claro, él se sentó junto al roble, con la espalda apoyada en el tronco percibiendo su energía, y se fue relajando.

Cuando los niños llegaron al punto que les había indicado el abuelo, Clara les dijo:

–Tenemos que sentarnos con las piernas cruzadas, la espalda recta y los ojos cerrados. Así… y juntos, haciendo un círculo. Vale. Ahora tenemos que poner cada uno, aquí, en el centro, la botellita de aceite, el frasco de tomillo y la bolsa de jengibre y cebada.

Patty y Óscar obedecieron las indicaciones de Clara, que añadió:

–Y ahora cogemos el aceite, lo abrimos y nos ponemos dos gotas en el dedo corazón de la mano derecha, y luego nos pasamos ese aceite por el centro de la frente. Así, como si dibujáramos un círculo pequeñito.

Clara hizo el ritual y, después, imitándola, Óscar y Patty lo repitieron.

–Después del aceite, cogemos el tomillo y damos dos sorbitos también...

Clara dio dos sorbos y sus amigos hicieron lo mismo.

–Y ahora, abrimos la bolsa de jengibre y cebada, la olemos y, después, se la pasamos a la persona que está a la derecha.

Sentado bajo el roble, el abuelo seguía con interés y muy emocionado los movimientos de los niños, descubriendo cómo le había escuchado su nieta aunque a veces no lo pareciera.

–Muy bien –dijo Clara–. Con el masaje del aceite de rosas hemos notado el tacto; con la infusión, el sabor; y con el jengibre, el olor. Y ahora, tenemos que cerrar los ojos para ver de verdad y guardar silencio para poder escuchar.

Y así, con los cinco sentidos muy, muy despiertos, los niños se quedaron sentados en el claro del bosque mientras el abuelo cerraba, también él, los ojos, sintiendo cómo la poderosa luz de la luna llena los iluminaba.

El silencio se hizo entonces infinito.

Y Clara, Patty y Óscar empezaron a sentir, con los ojos cerrados pero muy atentos, cómo sus cuerpos dejaban de pesar y parecían elevarse. Era una sensación de ligereza, como si fueran plumas y se dejaran llevar por el viento. Con aquella sensación tan suave y agradable, Clara fue sintiendo cómo la luz de la luna lo inundaba todo: el claro del bosque, los árboles, a sus amigos e, incluso, su cuerpo por dentro. Era ligera y luminosa.

–Como un hada…

De repente, Clara estuvo a punto de abrir los ojos, asustada. ¿De dónde salía aquella voz? Pero sus pensamientos se fueron volando y la voz, le habló, dulcemente, desde el gran silencio a su corazón.

–Sabemos por qué estáis aquí. Habéis venido a buscar a los pájaros. Los pájaros volverán, pero tenéis que dejar de gritar, de hacer ruido y guardar silencio para aprender a escuchar.

–Haremos muchas cajas –sintió entonces Clara–. Y aprenderemos a escuchar.

–La magia –le susurró la voz, alejándose– está en todas partes. Pero, a veces, hay que quitarse la venda de los ojos…

Entonces sí: Clara abrió los ojos.

La luz era tan intensa que tuvo que cerrarlos de nuevo y, con la sensación de luz en su interior, fue respirando y respirando, profundamente y con calma, hasta que sintió que una inspiración la llevaba a abrir ligeramente los párpados y una expiración a cerrarlos. Y así, inspirando y expirando varias veces, fue saliendo de aquel estado mágico hasta volver a la realidad del bosque con Patty y Óscar que, también ellos, habían tenido sus vivencias.

–Me he sentido tan feliz –dijo Patty–. Tenía la sensación de estar flotando y sólo veía a los pájaros regresando a la ciudad y a nosotros haciendo muchas cajas de silencio para que no se fueran nunca más.

–Pues yo –se atrevió a comentar Óscar– he visto, entre las rendijas de mis párpados, a unos… creo que eran… duendes, sí. Estaban ahí, entre la corteza del tronco de aquel árbol, como camuflados, pero me miraban. Y he notado que me decían algo, sin palabras. Y era algo así como que los niños podemos ser de gran ayuda en este mundo para que dejen de hacer tantas cosas feas.

–Los pájaros volverán –anunció entonces Clara. Y antes de que pudiera levantarse, de repente llegó volando un primer pájaro. Era… ¡su canario!

El pajarito se fue directamente a la cebada y mientras picoteaba en ella, feliz, el abuelo dejó el viejo roble para reunirse con los niños.

–Es él abuelito. Ha venido hasta aquí…

La alegría de Clara y la de su abuelo se sumó a la del pajarito, que no dejaba de piar y de revolotear alrededor de sus amigos. Entonces el abuelo se agachó y acercó la mano, con el dedo índice estirado. De un saltito, el canario se encaramó al dedo, que el abuelo elevó ligeramente hasta que tuvo a su amigo a la altura de la nariz.

–Hola –le dijo–. Te hemos echado mucho de menos.

–Xiiiiiccc… –contestó el pajarito.

Entonces el abuelo, acariciándole la cabecita con la yema del dedo, le dijo:

–Me imagino que aquí la vida es muy agradable, pero en la ciudad también hay lugares bonitos y otros que podéis alegrar con vuestro canto. Y nos gustaría volver a escucharos…

El canario se quedó mirando al abuelo y, después de ladear un poco la cabeza, lanzó un «xic» y salió volando.

Se hizo entonces un nuevo silencio y, cuando el abuelo se estaba incorporando para decir a los niños que era el momento de irse, unos puntos de luz muy brillante salieron de las campanillas doradas y pasaron junto a ellos. Fue un visto y no visto, como pequeñas, diminutas estrellas fugaces, pero todos, los niños y el abuelo, se quedaron muy, pero que muy quietos y aún más callados.

Nadie dijo nada más.

Y, en silencio, regresaron a la ciudad.

Al día siguiente, Clara y sus amigos, Óscar y Patty, llegaron al colegio decididos a enseñar a sus compañeros cómo hacer una caja y poner en ella mucho silencio para que los pájaros regresaran. Pero muchos niños se burlaron de ellos, y otros no les hicieron ni caso y, al final, Óscar estuvo a punto de pelearse con Iván, el más travieso de la clase, y Clara se puso a llorar. Su maestra, la señorita Elena, intervino entonces para saber qué pasaba y Clara le pidió, por favor, que, si querían que los pájaros regresaran a la ciudad, creyera en su historia…

Hacía una mañana de mayo preciosa y, después de escuchar a Clara, la señorita Elena aceptó que todos se sentaran en el suelo del patio, como la niña le había pedido, para dibujar luego una caja de silencio.

Todos se sorprendieron ante la idea pero, con tranquilidad, Clara, Óscar y Patty se pusieron a hacer los mismos gestos que el abuelo les había enseñado en el bosque y sus compañeros empezaron a imitarles. También la señorita Elena fue dibujando en el aire su caja y, una vez hecha, Clara les pidió que cerraran los ojos.

–Pero sin apretarlos.

Poco a poco, los párpados de todos fueron bajando hasta cerrarse.

–Y ahora –dijo–, no debéis abrir los ojos para nada y, con los ojos bien cerrados, tenéis que escuchar.

–Y escuchadlo todo –añadió Patty–. Lo de fuera… y lo de dentro.

–La barriga –dijo Óscar riendo. Y luego su amigo Arturo, añadió:

–Sí, las tripas… y algún gasecillo que se escapa.

Entonces la risa ya fue general.

–Escuchad la risa –dijo entonces la maestra–. ¿Os gusta?

–¡Síiii! –gritaron todos.

–Sin gritar –continuó la maestra–. Seguid con los ojos cerrados y, cada vez que escuchéis algo, levantad la mano y, sin abrir los ojos, decidme lo que habéis escuchado. Entonces decidid si queréis guardarlo en la caja del silencio o bien dejarlo fuera porque no os gusta. ¿De acuerdo? Bueno, pues empecemos.

Los niños, con los ojos muy cerrados, se entregaron así a escuchar.

Y empezaron a levantar las manos.

–Yo he escuchado unas motos –dijo Arturo.

–¿Y quieres este sonido en tu caja? –le preguntó la maestra.

–¡No! Es muy fuerte y me pone nervioso.

–Yo he escuchado un timbre –dijo Inés, una niña muy dulce–. Y no me ha gustado porque insistía mucho… ¡Ring! ¡Ring!

–Yo oigo coches… Muchos… –comentó Patty–. Pasan por la calle… Run, run… y tocan bocinas. Pero no quiero ese ruido en mi caja. Es pesado.

–Pues yo, yo acabo de escuchar campanas –dijo Alicia, la hermana gemela de Inés–. Y son monas, y suaves. No como la señorita Conchita que ahora grita por teléfono. Los gritos no me gustan para mi caja del silencio.

–Yo estoy escuchando unas flautas –dijo Clara levantando la mano–. Sí… de la clase de música…

–Pero ahora pasa un avión –la interrumpió Inés–. Y casi no se oyen…

–Pues ahora oigo aquí detrás el viento moviendo las hojas de la palmera… –añadió Clara, que iba un poco más aventajada en el arte de saber callar y escuchar.

gritar
yo he escuchado unas motos
guardarlos
yo he escuchado un timbre
yo he escuchado campanas
yo he escuchado unas flautas

–Bueno –dijo entonces la maestra–. Estáis escuchando unos sonidos agradables y otros que no lo son tanto. ¿Qué queréis hacer con los que os gustan?

–¡Guardarlos! –gritaron todos.

–Sin gritar… No hace falta. Y con los que no os gustan, ¿qué hacemos?

Se hizo un silencio y, luego, Clara, flojito, dijo:

–Dejarlos fuera de la caja.

–Pero ¿cómo? –preguntó la profesora.

Se hizo otro silencio y entonces Iván abrió los ojos, sin poder evitarlo porque acababa de tener una idea:

–Pues ayudando entre todos a quitar los ruidos que no nos gustan. Yo, de mayor, no tendré moto. Y no voy a gritar nunca más. Y pondré la tele bajita. Y diré a mis padres que se cambien los timbres de sus móviles por otros más suaves.

–Pues yo… –saltó Arturo– diré a mi padre que coja menos el coche y vendré andando al colegio para que no haya tanto ruido en las calles. Y en el patio no gritaré, para que se oigan los sonidos bonitos.

Y así cada niño fue diciendo algo que él podía hacer para eliminar los ruidos feos y dejar que se escucharan más y mejor los bellos.

Y fue tal el éxito del ejercicio que no sólo gustó muchísimo a los compañeros de Clara y a la señorita Elena, sino que todos los maestros del colegio empezaron a practicarlo con sus alumnos y, luego, con sus hijos en casa, y también se lo explicaron a otros maestros de otros colegios.

De este modo, empezaron a hacer cajas de silencio por la mañana y también por la tarde, al terminar las clases: antes de salir, todos dedicaban algunos minutos a guardar el silencio dentro de la caja invisible que dibujaban en el aire con sus manos y, cuando ya lo habían hecho, se quedaban disfrutando de la tranquilidad de no hacer nada para poder escuchar cosas tan bonitas como:

El sonido del viento...

Las voces en los pasillos o en el patio del colegio...

El latido de su corazón...

Su voz interior...

Y...

¡El maravilloso trino de los pájaros!

De repente, una mañana, cuando el sol empezaba a asomar la nariz por el horizonte, el cielo empezó a teñirse con una nube oscura y cada vez mayor que fue avanzando desde el norte. La nube se fue haciendo cada vez más grande a medida que se acercaba a la ciudad, hasta que algunas personas empezaron a decir:

–¡Mirad! ¡Allá arriba!

–¡¿Qué es?!

–¡Una nube negra!

–¡Y se mueve!

Más y más personas fueron mirando hacia el cielo, parándose en la calle, bajando de sus coches, asomando la cabeza por las ventanas de sus casas o de los autobuses, saliendo de los edificios. Incluso los niños salieron de las clases con sus maestros.

Al principio, algunos empezaron a gritar y a asustarse creyendo que se trataba de una invasión de mosquitos aún mayor, sobretodo cuando la nube llegó a tapar la luz del sol y, durante unos minutos, una oscuridad como de noche cubrió la ciudad.

Oscuridad y silencio.

Y la ciudad empezó a detenerse...

Y a callar...

Los coches, los teléfonos, las alarmas, las bocinas, e incluso las voces humanas, se fueron apagando hasta guardar un completo y profundo silencio.

Un laaaaaaaaaaaaaaaarguíiiiiiiiiiiiiiiiiiiiiiiiiiiiiiiiiiiiiiiiiiiiiisimo silencio.

Entonces, los habitantes de la ciudad se quedaron parados en las calles, en las ventanas, en las terrazas de sus casas, en los colegios, en los lugares donde trabajaban, contemplando la gran nube oscura que avanzaba en el cielo sobre sus cabezas.

–¿Veis lo que está pasando ahí abajo? –preguntó el gorrión que capitaneaba la enorme bandada de pájaros.

–Nos están mirando –dijo el viejo vencejo que en su día mandó al pajarillo al bosque en busca de ayuda–. Nos miran y no saben qué está pasando.

–No nos reconocen –afirmó la gorrioncita–. No saben que somos nosotros, que hemos vuelto.

–Pues si es así –dijo el canario–, tendremos que darles un concierto.

Y dicho esto, los cientos y cientos de pájaros que regresaban del bosque se pusieron a cantar al unísono y con tanta alegría que sus trinos parecían una sola voz, la voz más suave y bella que jamás se había escuchado en la ciudad.

Fue entonces cuando sus habitantes descubrieron que los pájaros habían regresado...

La alegría de todos fue tan grande que en las calles, en las casas, en los colegios, en las tiendas y en las empresas, las personas aplaudieron y rieron emocionadas por el feliz regreso de los pájaros.

A partir de ese día tan especial, algo empezó a cambiar en la ciudad…

De entrada, las personas no volvieron a tener un pájaro enjaulado, y si los querían tener en sus casas, los dejaban libres o bien dejaban la puerta de la jaula abierta.

Y, día a día, los adultos y los niños aprendieron a controlarse para no dar rienda suelta a sus nervios y a su malhumor, como hacían antes cuando aporreaban las bocinas de sus coches, gritaban o hacían rugir los tubos de escape de sus motos y automóviles. Y para seguir respetando un ambiente más tranquilo y silencioso, no sólo bajaron el volumen de los teléfonos móviles para que no sonaran tan alto, sino que cambiaron sus melodías por otras más suaves y relajantes. De este modo, poquito a poco, incluso las personas descubrieron que no tenían por qué levantar la voz para hablar y el silencio empezó a estar en boca de todos.

Y en los colegios, todos los niños y niñas empezaron a practicarlo.

Cada mañana, al entrar en clase se sentaban tranquilamente en sus mesas y, sin hacer ruido, esperaban a su maestra. Y cuando llegaba, todos juntos dejaban pasar varios minutos sin hacer nada, sin decir nada, simplemente escuchando…

… el silencio.

Y, por supuesto, el canto de los pájaros, como el del joven gorrión que, desde entonces, no ha dejado de cantar con su amada en las ramas de la acacia, feliz porque cada día hay más niños y adultos que están aprendiendo a no gritar, a hablar con calma y a guardar silencio para escuchar los sonidos más bellos y esa voz que está en el interior. Y, cada vez que lo hacen, se acuerdan de los pájaros y del bosque de los duendes y de las hadas que, en este preciso instante, cantan y bailan porque saben que muchos niños están dispuestos a hacer muchas cosas para cuidar este planeta y a creer en su magia.

*Pequeñas y grandes cosas que todos podemos hacer por este planeta para reducir la contaminación acústica**

(*Se llama «contaminación acústica» al exceso de ruidos molestos que afectan a las personas y, también, a los animales.)

- Practica el silencio todos los días: un poquito por la mañana, al despertarte. Un poquito por la noche, al acostarte. Y durante el día, siempre que puedas, quédate en silencio, sin hacer ruido, sólo escuchando...
- Aprende a escuchar tu respiración, los sonidos que hay a tu alrededor, a los demás, a esa voz que te habla dentro de ti, a los pájaros...
- No grites.
- No pongas la música muy alta, ni la televisión, ni la Play...
- Si vas en un coche, pide que no aceleren ni toquen la bocina si no es estrictamente necesario.

En la sede de las Naciones Unidas,
muchas de sus sesiones empiezan
con un minuto de silencio
para serenar la mente.

- Prueba a hablar bajito, bajito durante un rato. En casa, en el patio, con tus amigos, en un restaurante. Ya verás que si tú gritas, los demás gritarán todavía más, pero si tú hablas muy suave (como cuando estás afónico), todo el mundo te imitará.

- Y propón a tus compañeros de clase y a tu maestra hacer, todos juntos, cajas de silencio donde guardar los sonidos que os gusten y dejar fuera los que no os gusten.

Si tienes más ideas o quieres explicar todo lo que has hecho o piensas hacer después de leer este cuento, escribe a blog.espiritudelatierra.com para compartirlo con otros niños, y también con adultos, y empezar así a crear el club de los Amigos del Espíritu de la Tierra.

Soy Anna Llauradó y escribo desde que era muy pequeña... Cuando iba al colegio, al Lycée Français de Barcelona, lo que más me gustaba eran las clases de lenguaje y de literatura (y odiaba las mates). También escribía mis diarios personales, en casa, y el del Lycée que se llamaba «Jóvenes 2000». Luego estudié Periodismo en la Facultad de Ciencias de la Información de la UAB y trabajé en varios periódicos como *Diario de Barcelona, La Vanguardia...* o revistas de cine como *Dirigido Por...* Después entré en TVE. Estuve cuatro años haciendo programas de entrevistas que yo presentaba y escribía. También hice un programa de cine en la radio y, como el cine me gusta mucho, empecé a escribir guiones para películas... Hice unos cuantos hasta que me puse a escribir literatura: mi sueño desde que era pequeña. En 2007 salió mi primera novela y un cuento para niños. Ahora, esta colección. Escribirla ha sido un regalo y un placer. Espero que leerla, también.

Hola amigos, me dedico a la ilustración de cuentos desde siempre, y si son divertidos mucho mejor. Me ha gustado especialmente ilustrar este primer cuento de la colección «El espiritu de la Tierra», porque nos invita a ver nuestro planeta azul desde un punto de vista más entrañable y despierta en nosotros ese espíritu de protección que tanto necesita. Espero que os guste tanto como a mí y que guardéis en vosotros el «espíritu de los niños» dispuestos siempre a emprender y llevar a fin los más grandes proyectos.

Os mando un abrazo desde Blanes, mi precioso pueblo marinero, blanco y azul, donde siempre encuentro la inspiración que necesito. Os invito a venir, aunque será mejor que no sea en pleno verano, lo digo por las cajas de silencio.

Gloria García

Diseño y maquetación: Idee

Avda. Diagonal, 662-664, Planta Baja – 08034 Barcelona – España
www.edicionesoniro.com
ISBN: 978-84-9754-363-7
Depósito legal: B. 45.058-2008

Impreso en Egedsa
Rois de Corella, 12-16 – 0805 Sabadell (Barcelona)
Impreso en España – *Printed in Spain*